MON PETIT LIVRE
POUR BIEN DORMIR

GILLES DIEDERICHS

VÉRONIQUE SALOMON-RIEU

Voix : Aurore Breuillot

© 2010, Rue des enfants
ISBN 978-2-35181-139-9
Imprimé en Italie
Dépôt légal : octobre 2010
Loi n° 49-956 du 16 juillet 1949
sur les publications destinées à la jeunesse

SOMMAIRE

INTRODUCTION

Comme tout un chacun, votre bébé a régulièrement besoin de repos. Au cours du premier mois, ses phases de sommeil sont un peu désordonnées, souvent rythmées par des besoins d'allaitement ou de biberons. Il doit également apprendre à composer avec vos horaires, à mettre en place son horloge interne. Durant les trois premiers mois, il ne fait pas réellement la différence entre le jour et la nuit.

Grâce au sommeil, indispensable à son développement et à son épanouissement, votre bébé peut récupérer de ses activités, se détendre et mettre en place son système biologique. Car, rappelons-le, durant la phase de sommeil, le fonctionnement du corps se modifie : respiration, rythme cardiaque, activité du cerveau, température corporelle, tension artérielle…

Le sommeil est aussi lié à la croissance. En effet, pendant le sommeil lent et profond, votre bébé sécrète l'hormone de croissance qui favorise le développement de sa taille et de son poids. Il va donc se construire en dormant.

Le rituel du coucher sert à prévenir votre bébé que l'heure de dormir est arrivée. L'objectif de ce livre-CD est de vous proposer des rituels d'endormissement simples et ludiques, à mettre en place tous les soirs. Il s'agit surtout de rassurer votre bébé et de le préparer au sommeil en l'apaisant à l'aide d'une berceuse, d'un massage doux ou d'une comptine.

Vous pouvez commencer par une étape plutôt qu'une autre, les besoins du moment présent vous guideront dans vos choix. Et, petit à petit, ce sera votre bébé qui vous signalera ses préférences . Libre à vous de prolonger ce rituel par des apports créatifs, des découvertes ou des envies personnelles. Souvenez-vous que favoriser l'endormissement, c'est aussi permettre à votre bébé de devenir autonome, et pour vous, de construire votre rôle de parents !

La qualité de votre présence et l'attention que vous portez à votre bébé sont les moteurs déterminants qui l'aideront à s'endormir.

Vous trouverez dans les différents chapitres :

• une présentation qui explique l'utilité du chemin d'endormissement,

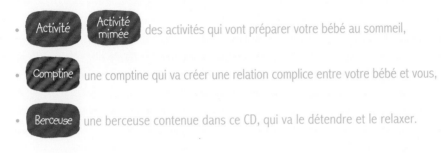 des activités qui vont préparer votre bébé au sommeil,

• **Comptine** une comptine qui va créer une relation complice entre votre bébé et vous,

• **Berceuse** une berceuse contenue dans ce CD, qui va le détendre et le relaxer.

C'est l'occasion, à chaque fois, d'associer musique, massage et éveil sensoriel…

L'heure du coucher

Vous mettez en place le rituel d'endormissement afin que votre bébé prenne conscience qu'au quotidien, il y a un moment où l'on se prépare à dormir. Une activité d'assouplissement, suivie d'une activité de réconfort avec papa et maman, vont le détendre et lui donner confiance.

Les copains de la nuit

Votre bébé va comprendre qu'il n'est pas le seul à s'endormir. Vous le sécurisez en enrichissant son univers par votre présence et celle d'éléments naturels. Ainsi, votre bébé ne se sent pas abandonné. La berceuse l'apaisera et le massage du visage relâchera ses tensions de la journée.

Il fait jour, il fait nuit

L'organisme doit s'adapter aux modifications liées à l'alternance « veille/sommeil ». Votre bébé va donc se sensibiliser au passage du jour à la nuit. Vous allez, par une histoire, lui notifier ce qui change dans son entourage, et par une activité sonore, accentuer sa compréhension du phénomène « jour/nuit ».

Bien dans son corps

Le bien-être de bébé détermine la qualité de son sommeil. Un massage en douceur l'aidera à atténuer des difficultés gastriques. Une activité sensorielle le rassurera dans le fait d'être aimé et accompagné.

Les voix du bien-être

Les voix de papa et maman apaisent bébé. L'activité va calmer ses possibles anxiétés.
La comptine permettra de repérer le moment de dire bonne nuit.

Bonne nuit !

C'est le moment où bébé apprend à se séparer de vous sans crainte et à accepter le sommeil. Deux activités d'accompagnement à l'endormissement apporteront douceur et complicité. La confiance est instaurée, vous pouvez tranquillement quitter la chambre.

*I*l est important de respecter ponctuellement l'heure du coucher. C'est un repère rassurant pour le bébé. Il comprend ainsi que le sommeil est un moment où il peut se reposer et récupérer, que cela est tout à fait naturel et sans risque. Plus il intégrera rapidement ce cycle, moins il luttera contre l'endormissement. Cela évitera bien des rapports délicats à gérer entre parents et bébés !

Pour les parents, l'heure du coucher est une phase importante qui construit la famille grâce à la complicité et à l'attention. Papa et maman, ensemble, ce sont des voix, des corps chaleureux et des présences bienveillantes qui accompagnent bébé sur le chemin de l'endormissement.

DÉTENDRE BÉBÉ

Bébé a besoin d'être très proche de vous physiquement. Voici deux activités qui vont le détendre et le rassurer Votre bébé est allongé sur le dos et gigote dans tous les sens ! Commencez par frotter ses deux paumes et posez ses mains sur son petit ventre.

1. Écartez les bras de bébé et croisez-les plusieurs fois. Puis reposez ses mains sur son ventre en les tenant.

2. Positionnez un bras de bébé tendu derrière la tête, puis l'autre. Et reposez ses mains sur son ventre en les tenant.

3. Pliez une jambe de bébé et ramenez le genou vers la poitrine.
Faites de même avec l'autre jambe, puis alternez les deux jambes.

Finissez en plaçant les mains de bébé sur votre ventre et… bisous !

Cet exercice respiratoire va vous relaxer en même temps que lui.

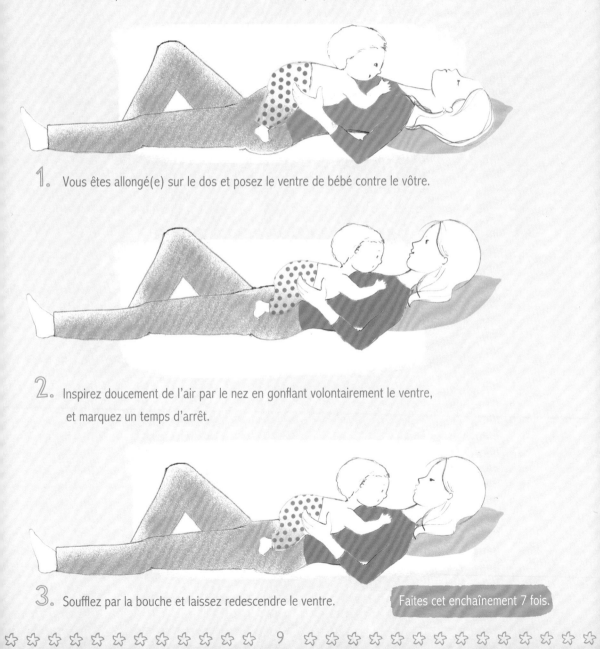

1. Vous êtes allongé(e) sur le dos et posez le ventre de bébé contre le vôtre.

2. Inspirez doucement de l'air par le nez en gonflant volontairement le ventre, et marquez un temps d'arrêt.

3. Soufflez par la bouche et laissez redescendre le ventre.

Faites cet enchaînement 7 fois.

PAPA EST AVEC TOI

L'énergie du père est importante pour la construction de bébé car elle induit une notion de sécurité.
Dans cet exercice, bébé est allongé sur le ventre, en contact avec le dos puis avec le ventre de papa.

1. Reproduisez le mouvement de la vague avec votre ventre, en inspirant et en courbant le dos.
Bébé suit le mouvement. Faites cet exercice sept fois.

2. Vous êtes sur le dos. Posez la tête de bébé contre votre cœur et respirez doucement. Faites-le sept fois.

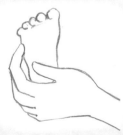

3.

Pour terminer, massez doucement
les pieds de bébé
(partie intérieure et extérieure).

Cette comptine va renforcer l'échange tactile entre votre bébé et vous.

Tenez une main de bébé dans la vôtre en suivant les indications. Puis recommencez avec l'autre main.

Mon gros pouce, c'est papa !

(Votre pouce touche le pouce de bébé)

Mon petit doigt, c'est maman !

(Votre petit doigt touche son petit doigt)

Et ce doigt-là, est-ce un grand frère ?

(Votre index touche son index)

Et ce doigt-là, est-ce une petite sœur ?

(Votre majeur touche son majeur)

Et ce doigt-là, un grand-père

ou une grand-mère ?

(Votre annulaire touche son annulaire)

Refrain

Oh, tous ces petits doigts !

(Prenez une de ses mains dans les vôtres)

Mais que vais-je en faire ?

(Levez sa main en l'air)

Je peux les agiter !

(Dépliez ses doigts et massez-les)

Je peux les faire jouer !

(Passez votre pouce sur l'extrémité de ses doigts)

Pour moi tous ces jolis doigts !

(Déposez quelques bisous sur ses doigts

ou mâchouillez-les doucement)

(bis)

✿ ✿

AU DODO DIDOU DIDON

C'est l'heure de se coucher
Il n'est plus temps de jouer
La journée est terminée
Vient le temps du repos, au dodo didou didon !

Refrain

Quand vient l'heure du dodo
Tu es bien au chaud
Dans ton lit, comme dans un nid
Comme un petit oiseau attendri !

Maman a fermé les volets
Papa a baissé les lumières
Tu as ton doudou tout près de toi
À portée de tes bras, au dodo didou didon !

Refrain

Papa et maman sont, eux aussi, fatigués
Et comme bébé, ils vont aller se coucher
Regarde tes jouets rangés, immobiles
C'est l'heure de se coucher, tranquille
Au dodo didou didon !

Refrain

LES COPAINS DE LA NUIT ✿ ✿ ✿

Bébé a besoin de sentir votre présence, même lorsque vous avez quitté la pièce. Grâce à la voix, aux câlins et à la complicité, il est rassuré avant de s'endormir et comprend que, même à distance, vous veillez sur lui.

Très tôt, votre bébé construit son monde imaginaire. À vous de l'aider à y introduire des sons, des mélodies, des personnages sympathiques et protecteurs, des copains qui l'attendent chaque nuit pour jouer bien au-delà du sommeil… C'est un moyen efficace pour lui faire comprendre qu'il n'est jamais seul quand il s'endort, mais bien accompagné !

Lorsqu'il se sentira seul, il pourra puiser dans ses ressources affectives et vivre ces moments d'éloignement sans ressentir le manque ou le sentiment d'abandon. C'est ainsi que son autonomie va se créer, et avec elle, la vôtre. Le détachement bienveillant que vous témoignez vous fait aussi grandir dans votre rôle de parents.

LA COMPTINE DU TIC-TAC

La comptine est idéale pour endormir votre bébé, le détendre et le tranquilliser. Prenez votre bébé dans vos bras, faites quelques pas dans sa chambre, et restez à l'écoute du CD. N'hésitez pas à fredonner la mélodie simplement, sans les mots ni la musique. La voix grave de papa va le rassurer, la voix plus claire de maman va le cajoler. Le contact de votre bébé contre votre corps chaud et le balancement feront de ce moment un instant magique.

Comme un tic, tu es bien dans mes bras
(Balancez-vous à droite)
Comme un tac, tu es bien tout contre moi
(Balancez-vous à gauche)
La vague monte, la vague s'en va
(Posez son oreille contre votre poitrine)
Le soleil te dit bonsoir, au revoir !
(Dites-lui « bonsoir » au creux de son oreille)
Et à demain mon bébé câlin
(Déposez un petit bisou sur son front)

Refrain

Comme un tic, comme un tac

Comme le tic-tac du temps

Comme une vague qui monte

Comme une vague qui descend

Tes petits yeux s'ouvrent

et se ferment doucement } *(bis)*

Comme un tic, les étoiles dans le ciel

Comme un tac, doucement étincellent

La nuit arrive et le jour s'en va

La lune est là et elle t'accompagnera

Jusqu'à demain mon bébé câlin

Refrain

DE LA DOUCEUR POUR BÉBÉ

Toute la journée, bébé grimace, tend les muscles de son visage, agite ses bras en l'air ou mordille ses petits doigts… À présent, place à la détente !

1. Bébé est sur le dos,
   sa tête repose dans votre main.
   Avec le bout des doigts,
   massez tout doucement
   son cuir chevelu.

2. En tenant sa tête dans votre main,
   étirez délicatement ses oreilles
   avec votre pouce et votre index.

3. Placez sa tête sur un coussin
   puis avec vos deux pouces,
   faites un mouvement
   du centre du front
   vers les tempes.

4. Vos pouces sont posés délicatement
   sur ses tempes. Vos doigts sont sous
   son menton. Puis remontez lentement
   en allant du menton vers les joues.

5. Avec vos doigts, faites des mouvements
   circulaires très doux sur ses joues.
   Placez ensuite vos doigts sous sa nuque
   et enveloppez doucement ses épaules.
   Puis massez-les lentement.

6. Bébé est sur un côté, un bras tendu.
   Avec votre main, faites de légers
   mouvements de pression sur son bras
   jusqu'au poignet. Finissez en ouvrant
   la main de bébé.

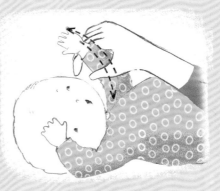

LES PETITS COPAINS

Dans les étoiles lointaines vivent mes petits copains
Ils sont dans un beau jardin où coule une fontaine
Des copains qui m'aiment et m'attendent pour jouer
Je n'ai plus qu'à m'endormir pour les retrouver

Refrain

Car je sais qu'ils sont là, tout près de moi
Avec leur rire et leur beau sourire, j'entends leurs voix
Je vais partager les bons moments de la nuit
Avec des amis qui aiment jouer, danser et chanter

D'abord, je ne suis jamais seul quand je m'endors
Je vais parler avec les fées du ciel, encore et encore
Et les étoiles qui étincellent, viennent me chatouiller
Déjà, elles me parlent tout bas au moment de me coucher

Refrain

Je vais partager les bons moments de la nuit
Avec des amis qui aiment jouer, danser et chanter

IL FAIT JOUR, IL FAIT NUIT

Au cours des premiers mois, votre bébé ne fait pas encore la différence entre le jour et la nuit. C'est pour cette raison qu'il est important de marquer le passage de l'éveil à l'endormissement comme un passage naturel. La nuit succède au jour, tout le monde suit ce rythme et tout se passe très bien, c'est un cycle de vie.

Le soir, votre bébé est comme vous, fatigué par ce qu'il a vécu au cours de sa journée. Il a besoin de dormir pour récupérer et permettre à son organisme de continuer sa croissance. La nuit signifiera donc le repos, le bien-être.
Les comptines qui vont suivre vont l'aider à intégrer ce passage du jour à la nuit. Le jour, on s'exprime. La nuit, on dort, on continue de vivre et de grandir dans son sommeil. Doucement, vous allez le sensibiliser grâce à l'écoute des sons du jour et de la nuit. Mais aussi par une activité que vous ferez avec lui le soir : dire au revoir au jour et accueillir la nuit, qui est une amie.

N'oubliez pas que bébé est très sensible aux éclairages. Plutôt qu'une lumière de type plafonnier, placez près de lui deux ou trois lampes douces que vous éteindrez au fur et à mesure. L'idéal est de disposer d'un variateur de lumière pour finalement terminer avec une petite lampe d'appoint.

LA COMPTINE DU JOUR ET DE LA NUIT

Prenez bébé dans vos bras et à l'écoute du CD, nommez chaque son
en précisant qu'il se produit le jour.

Le jour on peut entendre

Le pinson joyeux qui saute de branche en branche

Le petit chien qui veut toujours jouer avec sa balle

La tourterelle qui chante sur le toit de la maison

Le voisin qui démarre la voiture

Nommez à présent chaque son en précisant qu'il se produit la nuit.

La nuit on peut entendre

Le hibou qui fait de petits cris

Le son des grillons dans les champs endormis

Le vent tout doux dans les branchages

Le chat qui ronronne près de la gouttière

Le castor qui ronfle près de la rivière

La comptine du jour et de la nuit

Activité

BONSOIR LE JOUR !

Prenez bébé dans vos bras, faites quelques pas dans la chambre et murmurez-lui ces mots pour l'endormir.

Dehors la nuit tombe
En regardant par la fenêtre, on aperçoit le soleil qui s'en va
Coucou le soleil, bonsoir et au revoir, à demain !

Il faut tirer les rideaux
Coucou la rue, les gens, les voitures qui vont dormir
Bonsoir, au revoir et à demain !

Tous les joujoux sont rangés
Le hochet, les livres aussi
Coucou les amis les jouets, bonsoir et au revoir, à demain !

Il est temps de dire aussi au revoir aux peluches
Coucou petits copains du jour, bonsoir, au revoir et à demain !

BIENVENUE LA NUIT !

Allongez bébé dans son lit, à l'aide du CD, chantez-lui cette petite comptine.

Bonne nuit et bienvenue à la lune et aux étoiles
Vous allez accompagner le sommeil de bébé
Pour la lune et les étoiles, un bisou ! *(bis)*
(Faites-lui un bisou sur son front)

Bonne nuit à vous les lampes de ma chambre
Doucement vous allez dormir, comme moi
Pour les lampes de ma chambre, un bisou ! *(bis)*
(Faites-lui un bisou sur ses paupières)

Bonne nuit le doudou chéri
Tu vas m'accompagner toute la nuit
Pour le doudou chéri, un bisou ! *(bis)*
(Faites-lui un bisou sur son ventre)

Bonne nuit papa et maman
Comme bébé, vous allez dormir
Pour papa et maman, un bisou ! *(bis)*
(Faites-lui un bisou sur ses deux mains)

IL FAIT JOUR IL FAIT NUIT

Il fait jour quand le soleil est là, rien que pour toi
Il fait jour quand maman va cueillir des fraises des bois
Il fait jour quand tu te promènes dans les bras de papa
Il fait jour quand tu joues avec tous tes dix doigts

Refrain
Et puis la nuit vient pour éclairer le ciel
Et tous les oiseaux ont replié leurs ailes
Ils sont au chaud dans leur nid, endormis
Et toi, tu es avec ton doudou qui te fait des bisous !

Il fait jour quand les enfants courent en riant
Il fait jour quand les oiseaux volent en chantant
Il fait jour quand tu te promènes dans les bras de maman
Il fait jour quand les canards gigotent gaiement

Refrain

✦ ✦ BIEN DANS SON CORPS ✦ ✦ ✦ ✦

$\mathcal{L}$es premiers mois, entre le lait et la diversification de l'alimentation, votre bébé connaît des moments délicats au cours desquels il vit des contrariétés gastriques tout à fait normales mais embarrassantes. En grandissant, cette zone du ventre devient le siège des émotions, des tensions et des anxiétés enfantines… Du fait que les intestins et les poumons sont très liés dans ces domaines, souvent les chagrins, les pleurs et les colères s'ajoutent à la toux et aux coliques, ce qui vous désempare. En réalité, l'organisme de bébé se renforce aussi par ces passages.

Ce chapitre va vous indiquer comment soulager les maux de ventre de votre bébé, comment fluidifier sa nervosité et apaiser ses anxiétés. N'oubliez pas qu'il est en pleine croissance. C'est une expérience extraordinaire mais aussi un travail de chaque instant. Il est normal qu'il en résulte des répercussions, mais comme vous êtes des parents attentifs, aimants et curieux, voici comment agir, et réagir !

UN PETIT VENTRE EN PLEINE FORME

Voici un petit massage qui soulagera les maux de ventre de bébé. Durant chaque étape, n'oubliez pas de frotter vos paumes pour les rendre bien chaudes !

1. Placez une paume sur la gorge de bébé, l'autre en dessous du ventre. Puis massez tout doucement.

2. Placez ensuite une paume sur le plexus solaire, l'autre au-dessus du nombril, et massez doucement. Poursuivez le massage en posant une paume sur le foie, et l'autre à droite de l'estomac.

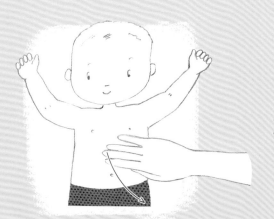

3. Votre paume est sur son estomac et descend vers la hanche droite. Arrêtez votre mouvement pendant un instant.

4. Ramenez ensuite votre paume
vers l'estomac et arrêtez votre
mouvement pendant un instant.
Alternez avec l'autre main
en plusieurs cycles de massages doux.

5. Chaque paume alterne en commençant
par le diaphragme, puis sous le nombril
et le foie en terminant de nouveau
par le diaphragme.

6. Prenez les mains de bébé serrées
dans les vôtres et réchauffez-les.
Terminez en prenant ses pieds
dans vos mains pour les réchauffer.

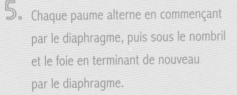

LE PETIT NUAGE MAGIQUE

Bébé est dans vos bras. Bercez-le et racontez-lui l'histoire du petit nuage magique. Utilisez pour cela un foulard en soie que vous passerez doucement sur son corps. Au cours de cette activité, à l'aide de votre pouce et de vos doigts, alternez entre massage du pied et massage du centre de la main.

1. Le petit nuage va se poser sur mes yeux !
   Coucou, me voilà ! je suis caché(e) ?
   Non, je suis là !

2. Oh, Bébé est là ! Il n'est plus là !
   (Caressez son visage avec le foulard)
   Revoilà bébé !

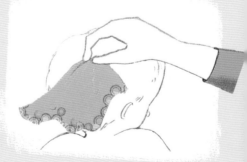

3. Le petit nuage se cache sur la nuque de bébé
   et le vent le caresse. Coucou, le nuage,
   tu es caché ? Non, revoilà le petit nuage !

Placez à présent votre bébé sur le ventre. À l'aide du CD, chantez-lui cette chanson en lui massant le corps du bout des doigts.

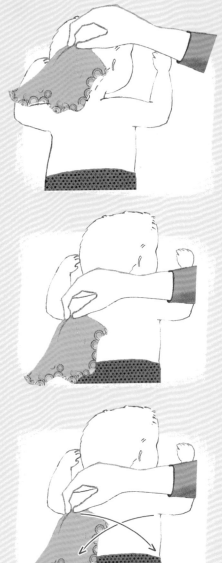

Le petit nuage magique
Se pose sur les épaules de bébé
Il chatouille !
Il chatouille !

Le petit nuage magique
Se pose sur les hanches de bébé
Il gratouille !
Il gratouille !

Le petit nuage sautille
Comme une grenouille en passant
Sur les deux côtés du dos (coa, coa) !

Le petit nuage effleure les bras de bébé
Boum boum ratatouille !
Quel coquin ce nuage !

(bis)

UN BÉBÉ D'AMOUR

Bien au chaud, sous les draps
Allongé sur le dos, tu aperçois papa
Comme c'est doux de s'endormir
Entouré des plus tendres sourires

Refrain
Car tu es un bébé d'amour
Un bébé cajolé tous les jours
Et papa et maman sont bien là
Ils veillent sur toi, joli minois !

Bien au chaud, sous les draps
En sommeillant, tu aperçois maman
Comme c'est bon de s'endormir
Entouré du plus beau des sourires

Refrain (bis)

LES VOIX DU BIEN-ÊTRE ✷ ✷ ✷

ès les premières semaines, bébé ressent votre présence par l'attention que vous lui portez, par vos caresses, votre odeur et le battement de votre cœur, mais également par le timbre de votre voix. La voix des parents porte le témoignage de l'affection. Il est donc conseillé de favoriser la tranquillité du soir par des paroles douces, et ce, tout au long du coucher.

Votre bébé va se concentrer sur le son de votre voix, pour en comprendre les intentions et se sentir en confiance. Vous pourrez ainsi fluidifier ses anxiétés avant de le laisser rejoindre les bras de Morphée. Il est donc important d'utiliser régulièrement vos voix, ensemble ou séparément.

Dans la comptine qui suit, les gestes devront être associés aux mots. Vos mouvements accompagneront ainsi le sens des paroles.

Ce chapitre l'aidera également à prendre conscience de sa place dans l'espace. Il pourra mieux comprendre ce qui l'entoure et la manière dont ce monde nouveau peut se manifester.

LES PETITS SONS QUI RASSURENT

Racontez-lui cette petite histoire à votre rythme, en mettant dans le son de votre voix toute votre tendresse et votre amour. Vous pouvez choisir de jouer de façon tendre ou malicieuse, rassurante ou amusée. Vous pouvez chantonner ou murmurer, dans tous les cas le témoignage de votre chaleur fera le plus grand bien à bébé.

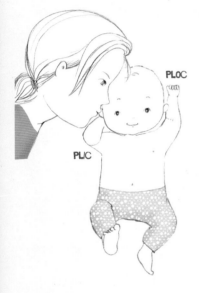

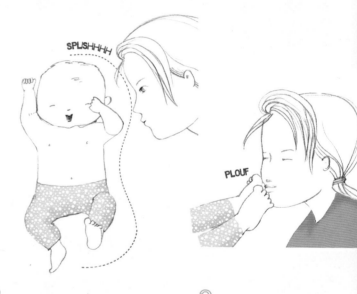

1. Une goutte de pluie, plic !
(Prononcez le « plic »
près de son oreille droite)
Tombe toute la nuit, ploc !
(Prononcez le « ploc »
près de son oreille gauche)

2. Elle vient faire sa vie, splishhh !
(Commencez le son au-dessus
de lui et terminez au niveau
de ses pieds)

3. Tout autour de ton lit, plouf
(Dites le « plouf »
en embrassant ses pieds)

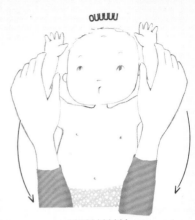

OUUUUU

4. Petite goutte, attention, ouuuu !

(Sur le « ouuuu » étendez ses bras derrière sa tête)

Mieux vaut quitter ma maison, aaaaa !

(Sur le « aaaaa », ramenez ses bras le long du corps)

AAAAAAAAAAAA

5. Un rayon de soleil, ooohhh !

(Prononcez le « ooohhh » sur son front)

Qui avait bien sommeil, ouaaa !

(Prononcez le « ouaaa » sur sa gorge en bâillant)

Vient sécher cette goutte d'eau, pfff !

(Prononcez le « pfff » sur son ventre)

Et retourne faire dodo !

(Serrez ses mains l'une contre l'autre)

OOOHHH

OUAAA   PFFF

6. Petit soleil endormi, ronronron !

(Prononcez le « ronronron » en étendant ses bras derrière sa tête)

Tu protèges mon nid, pschiii !

(Prononcez le « pschiii » en les ramenant le long du corps)

7. Gardez les paumes de ses mains

sur vos joues, et articulez très doucement :

Papa et maman sont là, aaaa !

Avec leurs jolies voix, ouaaa !

Ils savent me parler, éééé !

Chantonner ou murmurer, mmmm !

MMMMMMMM

LE DODO DES ANIMAUX

À l'aide du CD, chantez et mimez cette comptine, en suivant les paroles et les indications. Puis chantonnez-la sans musique. Par la suite, que ce soit en voiture, en promenade ou quand bébé ne dort pas chez lui, ce lien de tendresse sera pour lui un signal d'apaisement, un moment câlin qui n'appartient qu'à lui. Vous aurez ainsi créé une mémoire de retour au calme, que vous pourrez utiliser aux moments clés de la journée et de la nuit.

Au bord du chemin

(Vos deux index montrent un chemin)

Dort un petit lapin

(Vos deux index font les oreilles du lapin)

Il est bien fatigué

(Baissez la tête et fléchissez vos index)

D'avoir joué toute la journée

(Agitez votre tête de joie)

Il dit :

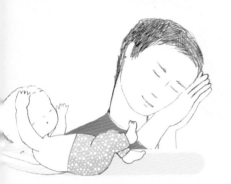

Refrain

Comme toi, je vais dormir
(Penchez votre tête sur vos deux mains jointes)
Comme toi, je vais sourire
(Faites un grand sourire !)
Aux étoiles et à la lune
(Pointez votre doigt vers le haut)
Qui s'allument, une à une
(Ouvrez et fermez doucement vos doigts,
en alternant les deux mains)

Tout près du ruisseau
(Vos deux index montrent un chemin)
S'endort un renardeau
(Vos deux index font les oreilles du renardeau)
La journée a été belle
(Écartez vos bras de bonheur)
À jouer avec les hirondelles
(Agitez vos doigts dans l'air)
Il dit :

Refrain *(bis)*

DEMOISELLE COCCINELLE

Tout près de la fontaine, vit un très vieux chêne
Une gentille coccinelle, belle demoiselle
Danse sous la mousse, toute douce
Elle chante son amour, d'une voix de velours

Refrain

Voulez-vous m'aimer les amis, le voulez-vous ?
Le voulez-vous ?
Voulez-vous chanter les amis, le voulez-vous ?
Le voulez-vous ?
Voulez-vous danser les amis, le voulez-vous ?
Le voulez-vous ?
Alors aimez, chantez, dansez, le temps d'un été,
Sans vous arrêter !

Tout près du vieux puits, vit un très vieux gui
Une gentille chouette, qui veut faire la fête
Danse sur les branches, qui penchent
Elle chante son amour, d'une voix de velours

Refrain

BONNE NUIT !

C'est le moment de souhaiter une bonne nuit à votre bébé. Cela signifie qu'il va apprendre à être seul dans une pièce faiblement éclairée, sans votre présence physique. Pour vous, parents, c'est le moment où vous instaurez une confiance avec votre bébé. Il sait que vous n'êtes pas loin lui. Si quelque chose n'allait pas, il vous le signalerait et vous pourriez intervenir, ne vous inquiétez pas ! Cette confiance mutuelle se crée pas à pas.

Votre bébé sait qu'il n'est pas abandonné, que vous allez dormir vous aussi, et qu'il vous retrouvera demain matin au réveil ! Il n'aura rien à craindre du sommeil. Ce passage du jour à la nuit sera perçu comme une continuité logique et naturelle. S'il apprivoise cet instant, il gagnera en autonomie. Lui aussi pourra savourer le fait de se reposer et d'être en paix… même sans vous !

Voici deux conseils qui vous aideront à quitter la chambre en toute quiétude. Au cours de ces activités, baissez progressivement les lumières de la chambre. Utilisez de préférence un variateur de lumière, ou bien deux lampes que vous éteindrez une à une. Évitez les coupures trop franches. N'oubliez pas : vous accompagnez votre bébé, mais il se construit seul.

LE SOURIRE DES ÉTOILES

Cette activité vous permettra de donner des repères à votre bébé pour préparer son endormissement.
Lisez le texte à votre bébé de manière douce et régulière, en y associant les gestes précis.

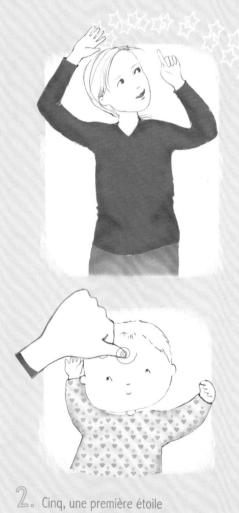

1. La grande nuit bleutée
   est douce et accueillante
   (Avec votre main, dessinez un arc
   de cercle au-dessus de lui)
   Les étoiles brillent dans le ciel,
   elles te regardent tendrement
   (Montrez-lui les étoiles posées
   sur cet arc imaginaire)

2. Cinq, une première étoile
   ferme ses petits yeux, elle s'éteint doucement
   (Avec un doigt, massez le centre de son front)
   Partout sur la Terre les enfants s'endorment.

3. Quatre, une deuxième étoile
   s'endort, elle s'éteint en bâillant
   (Posez vos mains chaudes sur ses joues)
   La lune sourit à la nuit.

4. Trois, deux étoiles,
main dans la main, s'endorment
l'une contre l'autre
Elles s'éteignent en souriant
(Posez vos mains sur ses oreilles)
C'est aussi le moment où tous
les animaux vont se coucher.

5. Deux, une nouvelle étoile
s'éteint tranquillement
(Posez une main chaude sur son ventre)
La nature est calme
et silencieuse, tout est paisible.

Un, une étoile clignote puis s'éteint
(Posez une main chaude
au centre de sa poitrine)

6. C'est le moment de dormir tranquillement
Bonne nuit mon amour
(Quittez tranquillement votre bébé et retirez-vous de la pièce)

UN COTON TOUT DOUX

Pour cette activité dont vous allez mimer les gestes, nous vous conseillons de parfumer du coton avec de l'eau de fleur d'oranger, qui va adoucir l'humeur de bébé.

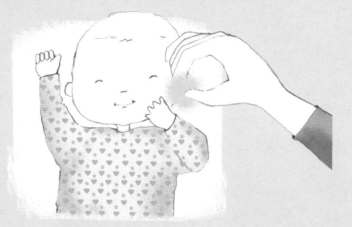

Juste avant de dormir,

ton ami coton tout doux vient te chatouiller !

(Passez doucement le coton sur son front)

Il vient te parler avec douceur

(Passez le coton sur chacune de ses joues)

Il te dit : tu vas sentir bon !

(Passez le coton sur son menton)

Car tu vas rencontrer plein d'amis

(Passez le coton autour de ses yeux)

Et il faut être beau pour les accompagner !

(Passez le coton derrière chacune de ses oreilles)

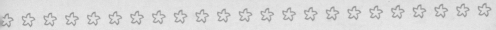

LA MAISON S'ENDORT

Mimez ensuite les gestes en les réalisant sur vous, et lorsque c'est possible sur bébé.

Maintenant que tu es tout beau,
il faut fermer la maison !
(Fermez les yeux
et posez les mains sur votre visage)

D'abord, il faut fermer les deux portes
(Posez vos paumes sur vos oreilles,
 puis sur les siennes)

Et puis tous les volets
(Posez vos paumes sur vos yeux,
puis sur les siens)

Et la grande fenêtre de la chambre
(Soulignez le contour de vos lèvres,
puis le contour des siennes)

Et demander à la lune de t'accompagner
(Posez vos mains sur vos tempes,
fermez les yeux et baissez la tête)

Bonne nuit, mon amour…
(Et quittez la pièce en envoyant un bisou !)

DORMIR DE PLAISIR

Une nuit douce remplie d'étoiles
Belle lune rousse qui se dévoile
La nuit me prend dans ses bras
Elle me chante tout bas
Ces jolis mots, si beaux

Pour toi bébé, pour toi, petit amour
Après le jour, je t'offre mes baisers
Pour toi bébé, pour toi, petit cœur
J'offre ces jolies fleurs de rosée
Dors tranquille, je veille sur toi…

Une nuit douce caresse les prés
Le vent pousse les fines tiges de blé
C'est une nuit paisible et enchantée
Les animaux viennent me raconter
Ces jolis mots, si beaux

Pour toi bébé, pour toi, petit amour
Après le jour, nous t'offrons nos baisers
Pour toi bébé, pour toi, petit cœur
Nous offrons ces jolies fleurs de rosée
Dors tranquille, nous restons
près de toi…

Une nuit douce remplie d'étoiles
Belle lune rousse qui se dévoile
Dors tranquille, je veille sur toi